FAIRY TAIL

48

HIRO MASHIMA

FAIRY TAIL 48 SOMMAIRE

CHAPITRE 404 : 00:00

ET EN PLUS, MON MALÉFICE ACCENTUE LA DOULEUR !

C'EST IMPOSSIBLE ! J'AI NEUTRALISÉ TOUS TES SENS...

PLAAAAAM

KOAF!

...

...

...

IL Y A UNE EXPLICATION BIEN PLUS SIMPLE QUE ÇA !

?!

TU VEUX DIRE QUE LA PRIVATION DE SES CINQ SENS EN A FAIT APPARAÎTRE DE NOUVEAUX ?

ÇA NE PEUT ÊTRE QU'UNE QUESTION DE SIXIÈME OU DE SEPTIÈME SENS !

JE SUIS D'ACCORD...

C'EST PARCE QUE C'EST ERZA !

PLAAAAF

TSHRIIII
TSHRIIII
TSHRIIII
TSHRIIII

SALE-
TÉÉÉÉ-
ÉÉÉÉ
!

ÇA SERT À
RIEN ! ELLE
T'ENTEND
PAS
!

ERZA !
DÉPÊCHE-
TOI
!

LE COMPTE À
REBOURS...

BIP BIP
BIP

ZZARI

05:16

BIP BIP

28:42

AAA...

AAA...

AAA...

AAA...

AAH...

RAAAAAAA...

CLAAAAC

AAH!

TU VAS COMPRENDRE LA DIFFÉRENCE ENTRE UN HUMAIN...

ERZA !

AAA...

AA...

AA...

AAA...

AAH!

ET UN DÉMON DES LIVRES DE ZELEPH !

SON MALÉFICE LA REND PLUS FORTE À CHAQUE SECONDE !

ET L'AUTRE AUGMENTE LA PUISSANCE DE SES COUPS !

NON ! ERZA EST DEVENUE HYPERSENSIBLE À LA DOULEUR...

ELLE...

NE SENT PAS LA DOULEUR ?

OU ELLE NE RESSENT PAS LA PEUR ?

IL FAUT
L'ACHEVER
!

LE
COMPTE À
REBOURS
!

BIP

00:41

BIP

BIP BIP

ERZA
!

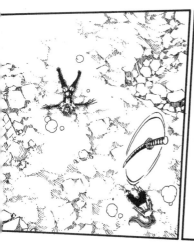

LA MAGIE VA
DISPARAÎTRE
DE CE MONDE
!

CHAPITRE 405 :

LE LIVRE DE TARTAROS – PARTIE 6 : MAGNA CARTA

20 MINUTES PLUS TÔT...

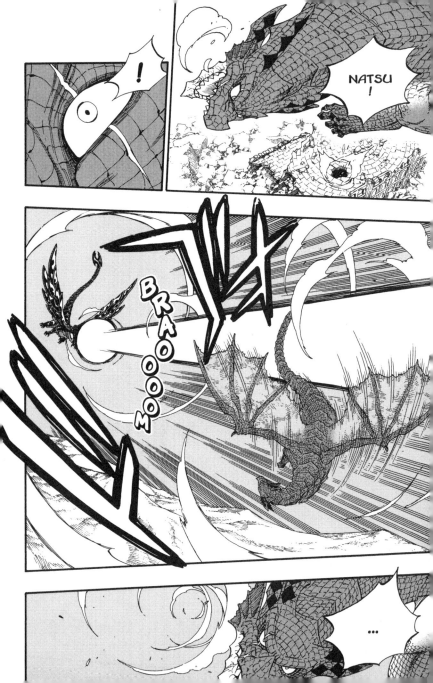

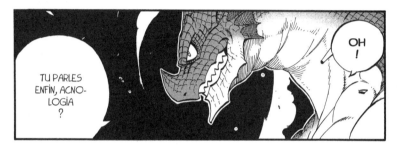

FSHAA

AAA

...

ÇA POUVAIT ÊTRE QUE VOUS !

TAP

ÇA FAISAIT UN BAIL, NATSU !

STING !

ROG !

...

AAAAH ! ON S'EN FOUT ! C'EST PAS LE MOMENT...

C'EST POUR MADEMOISELLE...

JE SAVAIS QUE VOUS ÉTIEZ LÀ, MAIS POURQUOI VOUS ÊTES VENUS ?

ON VA TE FILER UN COUP DE MAIN !

AVEC ERZA...

OÙ SONT LECTER ET FROSH ?

À TROIS, ON DEVRAIT POUVOIR LE BATTRE !

QUOI ?!

MAIS C'EST NON !

BONNE IDÉE !

IGNIR M'A CONFIÉ CE BOULOT !

JE DOIS LE FAIRE TOUT SEUL.

VOILÀ CE QU'ON VA FAIRE...

TU RIGOLES ?! C'EST PAS LE MOMENT !

RAH !

JE VOUS LAISSERAI PAS L'AVOIR...

QUOI ?!

ON VA LANCER UN CONCOURS ET VOIR QUI LE BATTRA EN PREMIER ENTRE TOI ET NOUS, LES DRAGONS JUMEAUX.

CHAPITRE 406 : LA FILLETTE À L'INTÉRIEUR DU CRISTAL

JE LE SAIS ! ALORS DIS-LE À VOIX HAUTE !

NON... MA MAGIE N'EST PAS FAITE POUR ÇA...

VIENS TE BATTRE, TOI AUSSI, VOLEN !

TENEZ BON, VOUS TOUS !

NOOOON ! LA LA LA LA LA !

CELLE-LÀ...

PLAAAAM

C'EST LA DERNIÈRE !

J'AURAIS AU MOINS VOULU ME FAIRE AVOIR PAR UN BEAU GOSSE...

ARGH...

SUPER ! LE MARQUAGE EST TOUJOURS LÀ...

ÇA DOIT ÊTRE PAR LÀ...

MOI, C'EST M. GAJIL !

M. GREY...

GAJIL, REBY ET JUBIA...

SONT PARTIS APPORTER CE QU'IL FAUT POUR SOIGNER LUXUS ET LES AUTRES À POLYUSSICA...

GREY A RÉCUPÉRÉ UN SUPER POUVOIR...

QU'EST-CE QUE ÇA FAIT LÀ, ÇA ?

HEIN ?

ET NATSU... COMMENT ON POURRAIT EXPLIQUER ÇA...

IL COMBAT PEUT-ÊTRE ACNOLOGIA EN PLEIN CIEL...

IL COMBAT ACNOLOGIA À ARMES ÉGALES !

L'ALLIÉ DE NATSU EST NOTRE ALLIÉ, NON ?

D'OÙ IL EST SORTI ?

DIRE QUE NATSU A CHERCHÉ IGNIR PARTOUT...

EH BIEN...

ON A ENFIN UN PETIT ESPOIR !

IL FAUT ENCORE S'OCCUPER DE FACE !

LE PLUS IMPORTANT, C'EST DE S'OCCU-PER DE TOUTES CES FACE !

"TOUTES CES FACE" ?!

MAIS... QU'EST-CE QUE T'AS FAIT À TES CHEVEUX ?!

CARLA... ET... T'ES DU CONSEIL DE LA MAGIE, TOI !

WENDY ?

JE VOULAIS CONTRÔLER LES MIENS LE PLUS LONGTEMPS POSSIBLE...

LES SENTIMENTS AFFAIBLISSENT LA RÉFLEXION...

EXCUSEZ-MOI UN INSTANT, MAÎTRE E.N.D...

TAP

LA COLÈRE EST UN SENTIMENT PARTICULIÈREMENT MAUVAIS...

PARFOIS, ON N'EST MÊME PLUS SOI-MÊME...

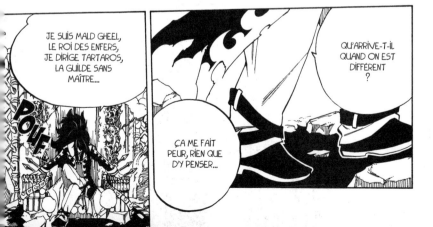

JE SUIS MALD GHEEL, LE ROI DES ENFERS, JE DIRIGE TARTAROS, LA GUILDE SANS MAÎTRE...

POUF

ÇA ME FAIT PEUR, RIEN QUE D'Y PENSER...

QU'ARRIVE-T-IL QUAND ON EST DIFFÉRENT ?

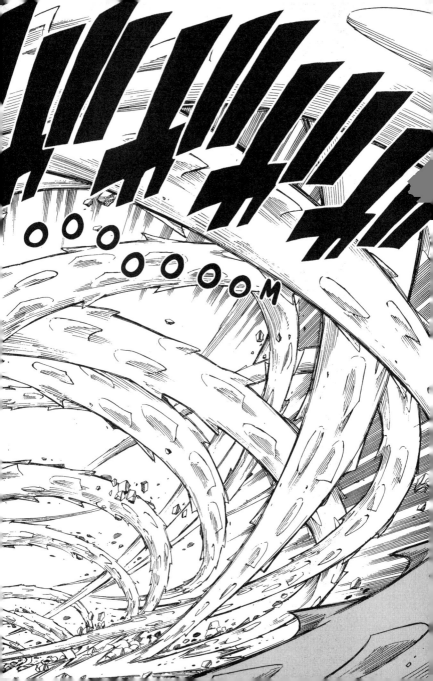

56

WOOOOOM

TSHHHH

HHH

MAIS...

L'OMBRE ET LA LUMIÈRE... C'EST BEAU...

FSHOU

QU'ELLES DISPARAISSENT EN MOI !

UUU

ET...

IL A TOUT ABSORBÉ !

C'EST PAS POSSIBLE !

SI C'EST TOUT CE QUE VOUS POUVEZ FAIRE, VOUS FERIEZ MIEUX DE RENON-CER...

JE NE ME SUIS PAS ENCORE DONNÉ À FOND !

MA TÉLÉPATHIE FONCTIONNE DANS UN RAYON DE 5 KM, JE NE POURRAI PAS CONTACTER TOUS LES MAGICIENS À TRAVERS LE ROYAUME !

J'AI BIEN COMPRIS TON PLAN, MAIS ÇA NE MARCHERA PAS...

BON SANG !

JE SUIS VRAIMENT TROP NUL !

QU'EST-CE QU'ON PEUT FAIRE ?

DÉJÀ AMOR-CÉES VONT ÊTRE ENCLENCHÉES...

DES MILLIERS DE FACE...

ALORS...

IL EST TROP TÔT POUR BAISSER LES BRAS !

NOUS AVONS UNE BOTTE SECRÈTE, NOUS AUSSI !

CETTE VOIX...

CHAPITRE 407 : POUR ME DÉTRUIRE

LUMEN HISTOIRE ?

QU'EST-CE QUE C'EST QUE ÇA ?

MAIS... ELLE A ÉTÉ RÉDUITE EN MIETTES...

LAISSE TOMBER...

J'AI PAS LE TEMPS DE VOUS EXPLIQUER...

REVENEZ TOUT DE SUITE À LA GUILDE !

JE SUIS DANS LES SOUS-SOLS !

GROUIL-LEZ-VOUS !

JE DEVRAIS AUSSI EFFACER MES PROPRES SOUVENIRS ?

ET JE SAIS QUE TU LE FERAS !

OUI...

SOIS PRUDENT, ELFMAN !

OUAIS !

ON SE DÉPÊCHE !

...

C'EST QUOI, LUMEN HISTOIRE ?

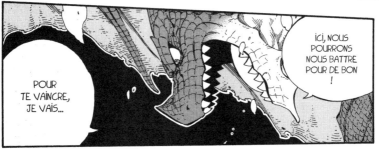

DÉPÊCHE-TOI D'ENCLENCHER FACE !

TU EN ES OÙ, KYÔKA ?

ET NOUS POURRONS RETROUVER ZELEPH !

PARCE QUE C'EST NOTRE DESTIN !

FSHOUUU

TSAC

TAP

POURQUOI VOUS FAITES TOUT ÇA ?

C'EST NOTRE DESTIN DE DÉMON DES LIVRES DE ZELEPH DE RETOURNER À SES CÔTÉS !

BROOOOM

MAIS... AU MOINS, ELLE A L'AIR DE FAIRE SON BOULOT...

ALLONS BON... ELLE EN A MÊME OUBLIÉ LE SON DE MA VOIX...

JE NE VOUS L'AI PAS DIT ?

EN FAISANT DISPARAÎTRE LA MAGIE, LES SCEAUX ENFERMANT E.N.D. SERONT LEVÉS...

POURQUOI TU VEUX FAIRE DISPARAÎTRE LA MAGIE DU ROYAUME ?

POUR L'INSTANT, IL A CET ASPECT, MAIS C'EST LE MAÎTRE DE TARTAROS, LE PLUS PUISSANT DES DÉMONS DES LIVRES DE ZELEPH !

C'EST CE LIVRE ?

JE PIGE PAS, TU POURRAIS LE RETROUVER TOUT SEUL, NON ?

AVEC SA RÉSURRECTION, NOUS POURRONS RETROUVER ZELEPH !

POURQUOI ZELEPH NOUS A-T-IL CRÉÉS ?

VOUS VOUS ÊTES DÉJÀ POSÉ CETTE QUESTION ?

CET ORDRE EST INSCRIT DANS NOS GÈNES !

AUPRÈS DE ZELEPH !

POUR RETOURNER...

AUCUN DE MES SUBALTERNES NE L'A ENCORE COMPRIS ...

NOUS, LES DÉMONS DES LIVRES DE ZELEPH, AVONS QUELQUE CHOSE EN NOUS QUI NOUS POUSSE À RETROUVER ZELEPH.

TOUS CES SENTIMENTS ABOUTISSENT À UNE SEULE RÉALITÉ...

"RETROUVER ZELEPH", "JE VEUX VOIR ZELEPH", "POUR ZELEPH"...

CE SOUHAIT L'A CONDUIT...

À CRÉER DES CRÉATURES CAPABLES DE L'ANÉANTIR.

DEVENU IMMORTEL, ZELEPH S'EST MAUDIT LUI-MÊME...

ET A SOUHAITÉ MOURIR !

E.N.D. EST SON PLUS GRAND CHEF-D'ŒUVRE...

MAIS, POUR UNE RAISON QUE J'IGNORE, IL A REPRIS SON APPARENCE DE LIVRE...

IL SERA DONC LIBÉRÉ QUAND FACE FERA DISPARAÎTRE LA MAGIE...

TANT QU'IL Y AURA DE LA MAGIE DANS CE MONDE, IL RESTERA ENFERMÉ...

C'EST ÇA QUE NOUS VOULONS ! ET C'EST CE QUE VEUT ZELEPH LUI-MÊME !

PUIS, IL VAINCRA ZELEPH !

79

POURQUOI VOUS MÊLEZ LES HUMAINS À TOUT ÇA ?

VOUS VOUS BATTEZ POUR VAINCRE ZELEPH ?

SALETÉ...

QUAND VOUS ALLEZ QUELQUE PART...

FAITES-VOUS ATTENTION À NE PAS ÉCRASER L'HERBE SUR LE CHEMIN ?

FSHOU

FSHOU

STING !

AAAH !

PLAAAAF

ARGH !

CLING

DE LA GLACE ?

!

CLING

QUI ES-TU ?!

DEPUIS QUAND ?!

TSS

VENU POUR TE VAINCRE !

JE SUIS UN CHAS- SEUR DE DÉMONS...

CHAPITRE 408 : LE DÉMON ABSOLU

UN CHASSEUR
DE DÉMONS
?

LES
CHASSEURS DE
DRAGONS TUENT
LES DRAGONS,
LES CHASSEURS
DE DIEUX TUENT
LES DIEUX,
ALORS...

C'EST
QUOI
?

MA MAGIE TUE LES DÉMONS !

BAOOOOOM

TSIIIIING

TROP FORT !

IL A GELÉ. LES RONCES D'UN SEUL COUP !

TON PÈRE ?

MAIS MON PÈRE M'A. DEMANDÉ...

MOI, JE TROUVE PAS ÇA AMU- SANT...

FSHOUUU

KATANA
DU DÉMON
...

DE GLACE
ABSOLUE
!

CLAC

BAOM

CLING

PLAAAAF

C'EST L'ANCIEN MAÎTRE DE SABER TOOTH !

AH...

MAÎTRE...

NON, ON NE M'A PAS FORCÉ !

J'AI OBTENU CE POUVOIR PARCE QUE JE L'AI DEMANDÉ !

ILS L'ONT TRANSFORMÉ DE FORCE EN DÉMON, COMME MINERVA ?

VOICI MON NOUVEAU SERVITEUR !

IL DÉPASSE DE LOIN LA PUISSANCE DES NEUF PORTES...

JE L'AI FAIT POUR DEVENIR LE PLUS FORT !

JE VOUS ATTENDS, LES DRAGONS JUMEAUX !

ON VA L'AVOIR !

ON S'OCCUPE DE LUI !

IL EST ENCORE TROP TÔT POUR QUE TU FASSES LE FIER...

T'AS PLUS PERSONNE POUR TE PROTÉGER, JE VAIS TE...

EH BIEN... ON DIRAIT QU'IL NE CONTRÔLE PAS ENCORE SES SENTIMENTS...

WOOOO

E.N.D. VA SE RÉVEILLER APRÈS 400 ANS ; IL EST TEMPS QUE J'EN FASSE AUTANT, NON ?

SA BLESSURE...

CLING

CLING

CROIS-TU VRAIMENT QUE TON POUVOIR SOIT À LA HAUTEUR DE MA VÉRITABLE APPARENCE ?

PSHOUUU

ON VA TE BATTRE AU NOM DE FAIRY TAIL !

JE VOUS ATTENDS, HUMAINS...

CE SERA VOTRE DERNIER COMBAT !

CHAPITRE 409 :
ATTAQUE NOIRE ET BLANCHE

FSHOUuuuu

ET
CRAME
!

GÈLE
!

BWAOM

TSAP

HEIN
?!

!

AAAH
!

AAA-
AAH
!

VOILÀ
CE QU'IL Y A
DERRIÈRE LES
PORTES DE
L'ENFER
!

LÂCHE-MOI !
PAUVRE
TYPE
!

AH...

LA FIN DES HUMAINS AYANT DÉSOBÉI AUX DÉMONS !

JE VAIS VOUS ARRACHER...

JUSQU'À VOS SENTI-MENTS !

BROOOM

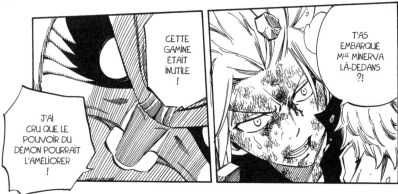

CETTE GAMINE ÉTAIT INUTILE !

J'AI CRU QUE LE POUVOIR DU DÉMON POURRAIT L'AMÉLIORER !

T'AS EMBARQUÉ MLLE MINERVA LÀ-DEDANS ?!

NON...

JE L'AI FAIT POUR QUE LA PUISSANCE DE MA LIGNÉE PASSE À LA POSTÉRITÉ !

C'EST TA PROPRE FILLE !

ON A REFAIT DE SABER TOOTH UNE GUILDE DIGNE DE CE NOM !

AAAH...

VOUS CROYEZ QUE DES GAMINS COMME VOUS PEUVENT PRENDRE SABER TOOTH ?

AAAH !

ÇA ME FAIT PAS RIRE !

PLAAAM

VOTRE FAIBLESSE A TOUT GÂCHÉ !

SABER TOOTH DOIT ÊTRE LA PLUS FORTE !

ON A EU LA FAIBLESSE DE NE PAS CROIRE EN NOS AMIS... ON NE VEUT PLUS DE CE GENRE DE GUILDE !

!

C'EST VRAI, ON ÉTAIT FAIBLES...

MAIS PAS DE LA MANIÈRE DONT TU L'ENTENDS...

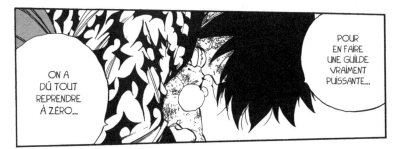

ON A DÛ TOUT REPRENDRE À ZÉRO...

POUR EN FAIRE UNE GUILDE VRAIMENT PUISSANTE...

ALORS, MAINTE-NANT...

TU VAS DÉGAGER !

ELLE EST TOUT PRÈS D'ICI...

ON EST SUPER CONTENTS...

SI SYMPA ET SI HONNÊTE !

UNE GUILDE SI FORTE...

D'AVOIR PU RENCON- TRER...

AAAAH
!

N'IMPORTE
QUOI
!

TCHAAA
AAAC

C'EST MÊME LE SUMMUM DE LA FAIBLEEEE-EEEESSE !

LA PUIS-SANCE NE PEUT VENIR QUE DE SOI-MÊME, ET DÉPENDRE DES AUTRES EST UNE FAIBLESSE !

ET ON A BESOIN D'AIMER POUR VIVRE !

MAIS ON VIT QUAND MÊME POUR LES AUTRES !

QUE FAIRY TAIL !

ON VEUT ÊTRE AUSSI FORTS...

ON VA SOIGNER TES SALES BLESSURES...

AVEC DES SUTURES NOIRES ET BLANCHES !

VOUS FOUTEZ PAS DE MOIIIIIIII IIIIIIIII !

C'EST...
IMPOS-
SIBLE...

HAN...

HAN...

HAN...

HAN
...

HAN...

HAN...

PLAAAAM

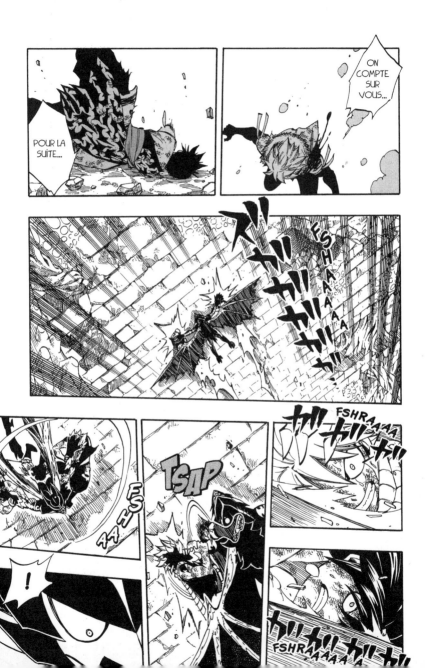

CHAPITRE 410 : MEMENTO MORI

PLAM

PAF

PAM PAM PAM PAM PAM PAM PAM PAM PAM PAM

HURLE-
MENT...

BAOOOOM

DU
DRAGON
!

WOOOOOO

YAAA-
AAAH
!

PAR
YGGDRASIL,
L'ARBRE DE
L'ENFER
!

BAOOOOM

RAAA-
AAH
!

BOOOM

CLING CLING

PAR LA GLACE...

SI UN DE MES SORTS LE TOUCHE, IL VA SÛREMENT...

IL EST IMMORTEL OU QUOI ?

MAGICIENS HUMAINS !

VOUS M'AVEZ BIEN AMUSÉ...

IL Y A LONGTEMPS, DE LA MAGIE UNIQUE NAQUIRENT LES AUTRES MAGIES...

LES MALÉFICES !

C'EST ALORS QU'E.N.D. DÉCOUVRIT UNE NOUVELLE MAGIE...

TRÈS VITE, ELLES SE MULTI-PLIÈRENT EN DE NOMBREUX GENRES...

UNE PUISSANCE BASÉE SUR LA NATURE MÊME DE LA VIE !

LA MALÉDIC-TION EST À L'ORIGINE DE LEUR POU-VOIR !

LA RANCUNE, LA JALOUSIE, LA HAINE... TOUS CES SENTIMENTS NÉGATIFS LEUR DONNENT DE LA PUISSANCE !

TSAP

SI C'EST LE CAS, LA MAGIE EST LA SOURCE DE L'AVENIR !

N'IMPORTE QUOI !

WOOOOOO

!

C'EST QUOI, ÇA ?

DE LA BRUME ? NON...

LA MAGIE N'A AUCUN AVENIR... LES MALÉFICES SONT PLUS PUISSANTS QUE TOUT !

BOU-GER...

JE PEUX PLUS...

C'EST LE MALÉFICE ULTIME CRÉÉ POUR ANÉANTIR ZELEPH !

PLONGEZ AU PURGATOIRE !

AA...
AA...
AAH!

AA...
AA...
AAH!

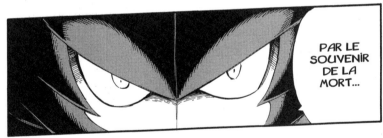

PAR LE SOUVENIR DE LA MORT...

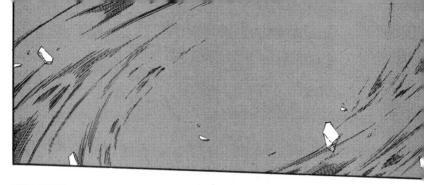

IL FAUT DÉTRUIRE LA NOTION DE VIE ET DE MORT !

POUR TUER ZELEPH L'IMMORTEL...

ILS NE FONT QUE DISPARAÎTRE !

CEUX QUI SONT TOUCHÉS PAR CE MALÉFICE NE SONT NI MORTS NI VIVANTS...

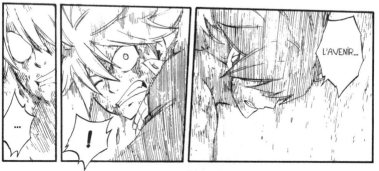

...

!

L'AVENIR...

MEMENTO MORI, LE MALÉFICE ULTIME, A PARFAITEMENT FONCTIONNÉ...

FSHOUUU

QUAND E.N.D. AURA RESSUS-CITÉ...

JE POURRAI TE DÉTRUIRE, ZELEPH...

CHAPITRE 411 :
LA BIENVEILLANCE APPELLE LA BIENVEILLANCE

MEMENTO MORI...

VOILÀ CE QU'EST LE MALÉFICE ULTIME...

C'EST IMPOS- SIBLE...

GREY...

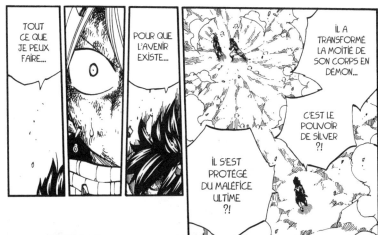

TOUT CE QUE JE PEUX FAIRE...

POUR QUE L'AVENIR EXISTE...

IL A TRANSFORMÉ LA MOITIÉ DE SON CORPS EN DÉMON...

C'EST LE POUVOIR DE SILVER ?!

IL S'EST PROTÉGÉ DU MALÉFICE ULTIME ?!

C'EST AVOIR CONFIANCE EN TOI, NATSU !

GREY...

GREY
!

CRI CRI

SALETÉ
D'HU-
MAIN
!

CRI

FSHAAAAAA

CRI

BON
SAAAANG
!

LE POUVOIR DU DRAGON ?!

PAR L'HÉRITAGE D'IGNIR !

LA TECHNIQUE SECRÈTE DU DRAGON...

DES FLAMMES INFINIES !

JE VAIS DÉTRUIRE TON CORPS ET TON ÂME !

TSAC

MOI AUSSI, JE TE FAIS CONFIANCE...

DISPARAIIIIIIIIIS !

T'ES INCROYA-BLE...

JE SUIS K.-O...

GREY !

!

RASSUREZ-VOUS...

BIP
00:25
BIP

KYÔKA...

WOOOOOOO

ELLE SOURIT ?

LA MAGIE VA DISPARAÎTRE DE CE MONDE !

ON A RÉUSSI...

CHAPITRE 412 : DANSE SUR ISHGAR

C'EST VRAI ! LE BOUQUIN !

JE DOIS ENCORE DÉTRUIRE E.N.D...

NON... C'EST PAS FINI...

TU RIGOLES OU QUOI ?!

DÉSOLÉ, MAIS JE VAIS LE DÉTRUIRE...

IGNIR M'A DEMANDÉ DE VENIR LE CHERCHER !

J'AI PROMIS À IGNIR...

C'EST LE PLUS PUISSANT DES DÉMONS DES LIVRES DE ZELEPH !

IL FAUT LE DÉMOLIR TANT QUE C'EST POSSIBLE !

C'EST TOI QUI DÉCONNES !

C'EST LUI QUI A FONDÉ TARTAROS !

JAMAIS !

FILE-MOI LE BOUQUIN !

PLAM

QU'EST-CE QUI SE PASSE ?

C'EST...

PLAM

WOOOOOM

!

CE SERAIT...

FACE ?!

WOOOOOOO

00:00

FACE "ON"

TING

TING

TING

REGAR-DEZ !

OH NON !

C'EST TROP TARD...

LA MAGIE VA DISPARAÎTRE DU ROYAUME...

QU'EST-CE QU'IL VA SE PASSER ?

LES FACE SE DÉCLENCHENT À TRAVERS TOUT LE PAYS !

C'EST LA FIN DU MONDE DE LA MAGIE...

IL S'EN
EST FALLU
DE PEU...

DOMMAGE...

JE N'AI PLUS... DE FORCE...

LUCY !

AH !

PLAF

AH !

PO UF

FACE SE SERAIT...

LA TÉLÉPATHIE NE PASSE PLUS...

HÉ ! C'EST PAS POSSIBLE ! MON POUVOIR NE MARCHE PLUS !

...

LA CONCENTRATION EN ETHERNANOS DIMINUE...

EUH... MERCI...

HÉ ! SANS ANIMAL SOUL, JE SUIS...

CETTE SENSATION...

JE N'AI PLUS D'ÉNERGIE... !

LA MAGIE NE MARCHE PLUS !

CE SERAIT À CAUSE DE CE VISAGE GÉANT ?!

LE TRAIN MAGIQUE A DÉRAILLÉ !

FUYONS !

AAAH !

LES LACRIMAS SE SONT ARRÊTÉS D'UN SEUL COUP !

LES FEUX DE LA VILLE S'ÉTEIGNENT !

EN DISPARAISSANT, LA MAGIE VA DEVENIR L'ÉNERGIE DU NÉANT ET E.N.D. VA RESSUSCITER...

!

ÇA N'EST ENCORE QUE LE COMMENCEMENT...

À L'HEURE DU RÉVEIL DU PLUS PUISSANT DES DÉMONS DE ZELEPH...

LES HUMAINS N'AURONT PLUS LA MAGIE POUR LUI RÉSISTER !

!

ACNOLOGÍA...

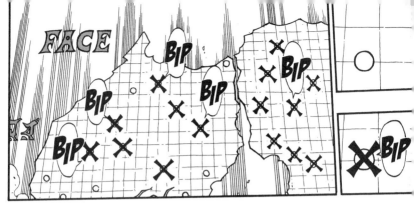

BAOOOOO-OOM

LES DRAGONS LIBÉRÉS...

SKIADRAM, LE DRAGON DE L'OMBRE EST LÀ AUSSI ?!

JE SENS LA PRÉSENCE DE BAISLOGIA, LE DRAGON BLANC... IL DEVRAIT ÊTRE MORT...

C'EST UN MIRACLE !

GÉNIAL !

À SUIVRE

POSTFACE

Quand une histoire dure si longtemps, les lecteurs finissent
par aimer, détester ou avoir toutes sortes de sentiments pour
les personnages. C'est moi qui décide quel personnage va intervenir
dans chaque histoire, mais, bien évidemment, les gens me disent
souvent qu'ils voudraient voir leur personnage préféré plus
souvent ou qu'ils veulent qu'il intervienne.

Ça me fait plaisir qu'on lise mes histoires en se demandant
si l'un des personnages principaux, qui n'est pas intervenu
cette fois, interviendra la prochaine fois.

Changeons de sujet et parlons des noms des personnages.
Il y en a vraiment beaucoup dans cette série et j'essaie de faire
en sorte qu'il n'y ait pas de doublon, mais il y en a finalement eu un !

Dans le tome 43, Tartaros tue le conseiller Yûri et dans mon autre
série en cours, *Fairy Tail Zero*, le père de Makarof s'appelle Yûri !
Un doublon ! Personne ne s'en est aperçu, ni mon éditeur
ni mes assistants ! L'horreur ! \(˚0˚)/

Dans notre quotidien, il n'est pas rare que deux personnes
aient le même nom, mais il y a une règle qui veut qu'on évite
que ça se produise dans une histoire.

Quand je me suis rendu compte qu'il y avait ce doublon, je me suis
demandé si je ne pouvais pas faire en sorte que le Yûri de *FT Zero*
et le conseiller Yûri soient une seule et même personne,
mais ils **ne se ressemblent pas du tout** !

C'est donc impossible et j'ai rapidement renoncé à cette idée.
Ce sont donc deux personnes différentes ayant juste
le même nom... Et zut...

Titre original :
FAIRY TAIL, vol. 48
© 2015 Hiro Mashima
All rights reserved.
First published in Japan in 2015
by Kodansha Ltd., Tokyo.
Publication rights for this French edition
arranged through Kodansha Ltd., Tokyo.

Traduction et adaptation : Vincent Zouzoulkovsky
Création d'illustrations : Claire Bréhinier

Édition française
2015 Pika Édition
ISBN : 978-2-8116-2547-4
ISSN : 2100-2932
Dépôt légal : décembre 2015
Achevé d'imprimer en Italie par
L.E.G.O. S.p.A. Lavis TN en décembre 2015

PAPIER À BASE DE
FIBRES CERTIFIÉES

Pika Édition s'engage pour l'environnement en
réduisant l'empreinte carbone de ses livres.
Rendez-vous sur www.pika-durable.fr

PiKa
EDITION
www.pika.fr